a ricordo di mio padre

essere venezia

essere

di fulvio roiter

venezia

testo di andrea zanzotto

magnus edizioni

venezia, forse

Solo un lungo esercizio di spostamenti, eradicazioni, rotture di ogni accertata prospettiva e abitudine potrebbe forse portarci nelle vicinanze di questi luoghi. Forse, per capirne qualcosa, bisognerebbe arrivarci come in altri tempi con mezzi di altri tempi, per paludi, canali, erbe, glissando con barche necessariamente furtive, dopo esser passati attraverso la scoperta di uno spazio dove tutte le distinzioni son messe in dubbio e insieme convivono in uno stupefacente caos, rispecchiate e negate a vicenda le une dalle altre. Bisognerebbe, per capirci qualcosa, arrivare a vedere cupole case capanne emerse dal niente dopo che si sia sprofondati con le gambe in sabbie mobili intrise di cielo, in zolle di succhiante forza vegetale, o dopo corse all'impazzata stroncate da una caduta in avanti nell'infinito, quasi come avvenne al Carlino di Ippolito Nievo. Solo con lo spirito di Carlino, camminando o nuotando o arrancando mezzo sommersi, da Portogruaro in giù, ci si preparerebbe abbastanza per sfiorare, toccare quell'impensata germinazione di realtà attonite, protese, morse dall'irreale.

Si staccano a volte dalle rive marine pezzi di terra con erbe folte, che si trasformano in piccole isole galleggianti. A qualcuno capitò, talvolta, di trovarsi portato al largo dopo essersi addormentato su una riva che si presentava stabile, di trovarsi in movimento pur se sdraiato tra canne ed erbe. E su una zattera di questo genere, più remota e mitica che quella usata da Ulisse, si potrebbe rischiare di approssimarsi alla città. Perché ogni pensiero che le si riferisca va appunto collocato «altrove»: come per una necessaria rincorsa, in un primo momento. Poi sarà possibile un provvisorio ancoraggio al tempo odierno. Sarà un ancoraggio comunque dubbio, ma pure subdolamente vero, di una verità insaporita, linfata da allucinogeni che sparano la nostra intimità psichica in mille divergenze, eppure sempre radicata per mille gesti terreni-acquatici in un'aspra e instancabile quotidianità, intesa a una lotta, a un gioco in cui la sopravvivenza può essere ottenuta soltanto scalfendo la realtà, momento per momento, con la più feroce e abbagliata fantasia.

Oppure, per avvicinarsi ancora di più al precario/eterno che circola in questi paraggi, bisognerebbe prima che con terre ed acque aver contatto con le sotterranee rocce e con il sepolto magma di fuoco che le regge sul suo dorso. Si è sull'angolo di mare Mediterraneo e Adriatico che si sfibra e diventa sempre meno profondo, da queste parti, e che mostra la sua natura di povera pozza ormai addensita di liquami, dove la madreperla più pura si fonde con le iridi equivoche delle deiezioni industriali. Quell'angolo di mare abbastanza quieto e spazzato da venti non terribili (al massimo irritanti con dolce/fredda molestia o spossanti per caldi languori dilagati dal sud) bisogna pensarlo, insieme con una breve porzione di terra che lo circonda, sospeso proprio sull'orlo della grande faglia peri-adriatica, che spacca là nei dintorni la crosta terrestre. E questa, formata da immense «zolle» che si investono tra loro lungo i milioni di anni, è qui frantumata più che altrove; si è al limite di una ridotta zolla che fa spesso sentire la sua inquietudine e fa oscuramente tremare la cerchia di monti e di colli che sta, poco lontana, sugli sfondi della città. Anche alla città arriva il tremore: ma siccome essa stessa è irrequietezza ed elastica instabilità sopra fanghi e depositi alluvionali non ne ha mai un totale pericolo. Avvicinarsi dunque dal basso della sotterraneità più cancellata, più contrapposta, più rimossa, eppure presente in qualche forma, e «sentire» la coppa che contiene il tenue mare con la sua città sull'orlo elaborato: anche questo può essere uno dei modi meno dirottanti per un approccio tra i molti possibili, ma che sempre rin-viano l'uno all'altro come le ondicelle della riva o come il moto sordo e preciso delle maree. Comprensioni labili che possono per un momento stagnare e trattenerci in sè, verissime in quell'istante, ma destinate a essere superate immediatamente, e magari poi ripescate come tirando un filo. O, ancora, la città potrebbe anche lei essere una delle zattere di limo erboso: che ha viaggiato a lungo e ha raccolto echi di molti Orienti e Occidenti, di molte Atlantidi o Pangee scomparse, miraggi riferibili ai più diversi paesi e non-paesi, una zattera che si è poi assestata, ma sempre con ormeggi di ragnatela radiosa, in questo punto della costa, e che ne è stata mol-lemente imprigionata, ma tra molti varchi, finestre, aperture.

La diversità, l'«oriente» di Venezia, è dunque stato ogni Bisanzio, ogni Persia, ogni Arabia Felix, ogni Cina, ha ritrovato gli itinerari nordici di San Brandano e quelli di Gordon Pym all'estremo sud del mondo, ha riassunto ogni giro e raggiro dell'imprevedibile. E la città intera, nel suo crescere e mutare lungo i tempi, nel suo restare, in qualche modo, «fuori tempo massimo» eppure sempre in gara, ha conservato i tempi a lei avvinghiati, anzi implicati a intarsio: pregio e tarlo, bava luminosa e scoria, puzzo sempre virato in profumo: come un punto di assurdo dentro l'oggi. Un'assurdità tenue, non-violenta, opposta in modo ambiguo alla «vita che irrompe», eppure capace di spaccare a cuneo l'altra assurdità, monotona e plumbea, dal peso irreversibilmente negativo, che sembra connotare la realtà attuale.

Sembra allora che Venezia (ma per «chiamarla» occorrono anche i tanti altri nomi che ha nelle tante lingue e soprattutto nella sua, locale) sia nata al di là e prima di qualunque storia o classificazione antropologica e sociologica, che le sue nascite si siano verificate a miriadi entro un tempo «telescopico», da canocchiale rovesciato.

Ma esiste un punto. Vi sono uccelli che più di altri hanno l'arte dello sbecchettare, scegliendoli ovunque, fuscelli adatti a costruire nidi paradisiaci per attirarvi l'amata, veri screziati labirinti e abitacoli. E si vorrebbe riferire quest'arte ai gabbiani, al loro andirivieni che certo sta componendo significati, e che va ben al di là degli istinti e dei bisogni: cosicché tutte le distese liquide ne restano tramate e completate, come da un'opera di cucitura frenetica che le unisce al cielo, o da irradiamenti di voli che poi si spengono in una specie di pioggia di baci offerti dagli uccelli all'acqua, per infine cullarvisi. Si vorrebbe sorprendere un gabbiano con un fuscello in bocca, un gabbiano che immerge questo fuscello nei fondali: la prima immagine che si può notare di questo insediamento è una serie di fuscelli alquanto sbilenchi che puntano su dall'orizzontalità. È l'esile indizio di qualcosa che contraddice una linea di riposo o di allontanamento, è l'insistenza minima in un'opposizione, un'insistenza che sembra non molto convinta, tra scherzosa e necessitata, in bilico tra i procedimenti delle piccolezze vegetali-animali e il progetto umano. Poi appaiono, a gruppi, simili elementi, dovunque: nuclei dispersi di palafitte visibili, all'inizio; palafitte che dopo verranno nascoste a far da base e da trono alla pienezza del monumento, eppure sensibili attraverso la sua struttura. Echeggia dovunque il tema del palo, o se si vuole dello stelo, misura e appoggio, sicuro pur nella sua ingenua e talvolta persino goffa esilità, e sempre indicatore di un movimento di triangolazione. Sono come sentinelle care agli uomini e familiari a venti e a onde, punti per una gamma di rotte da scegliere, frecce non imperiose nelle quali resterà per sempre indeterminata la direzionalità, ma in ogni caso riferimenti che non tradiscono. Bricole a mazzetti, pali a segnare fondali insidiosi, allineamenti e serpi di pali a definire «stradele in mezo al mar»: e tra di essi ci

sarà sempre, assorto in uno stupore che sembra e non è fermo, un «piccolo naviglio» come quello della canzone di una volta: più importante dello stesso bucintoro. Dal fuscello al trinato «palagio» (renitente sempre a farsi solido «palazzo» del dominio) e dalla barchetta alla galea traboccante di ori e manovre d'arte, carica di aurei anelli per sposalizi marini. Meraviglia di una potenza che trova il suo punto d'onore nell'essere soprattutto potenza di meraviglia artistica.

A mano a mano che da questa fascia esterna ci si trova sospinti entro «il fatto» della città, subentrano i maggiori pericoli. In primo luogo tale è la congestione di ciò che merita le attenzioni più differenziate ed estreme, da attizzare una febbrilità, una fibrillazione dei moti di tutti i sensi, e poi da far andare in tilt qualunque velleità e qualunque passione del riferire, del chiamare in causa, dell'indicare per ottenere una partecipazione. Inoltre da troppo tempo ci si sente quasi comandati ad entrare in una cartolina, in un lotto di soprammobili, nel kitsch più bovinamente collaudato. È il momento in cui solo aggrappandosi ad un rifiuto e quasi a un odio, e in ogni caso stando almeno a traballare su un forse, passerella quanto mai veneziana, si può continuare a tirar fuori parole. Il mozzafiato del miracolo programmato per i turisti di tutte le generazioni è il moscio ectoplasma con cui bisogna subito mettersi in lotta: purtroppo con una certa probabilità di perdere. Del resto, passare indenni attraverso le stratificazioni di un'ammirazione tanto naturale da diventare obbligatoria e perfino automatica non è possibile, e, infine, non è neppur giusto. Ma esiste, in tali condizioni, il rischio di una perdita di identità per chi voglia entrare in Venezia: i significati che vi si sono raccolti e i segni e i detti che sono serviti a questa operazione di lettura ricopiatura e scelta, l'intrecciarsi e infittirsi dei mille timbri soggettivi che in Venezia si sono ritrovati e appagati, rendono difficilissimo conservare un rapporto con l'autenticità per ciascuno che si prepari a sua volta ad un'analoga operazione. Si è circondati dai narcisismi di singoli, e spesso grandi, uomini − irriducibili come fiamme di fosforo − e dai narcisismi opachi di gruppi e folle: come potrà un io «qualunque», un io minimo, senza pretese, ritrovare quella *sola* pietra di Venezia, quel solo lampo di Venezia che valga a fargliela individuare come sua, conducendolo insieme a un'autoconoscenza? Perché, con dolcissima e quasi scivolosa persuasione, attraverso catene di choc realizzati per somma dei più disparati elementi − e insieme per catene di sottrazioni, dubbi, mutismi, «indecidibilità» − è potere di Venezia portare ogni singolo ad un momento massimo della propria storia interiore e di un'altra «storia», portare ognuno, con agio e mancamento insieme, ad un riscontro della propria insostituibilità, della necessità «anche» di questi suoi occhi, fatti di niente, per guardarla. Venezia non è mai sazia di sguardi, tremola di desiderio di sguardi che si incrocino da tutte le dimensioni. Moltitudine di sguardi che le vengono incontro e l'attraversano; occhi come ha saputo identificarli Guidi. Non-occhi per sovrabbondanza di vista, polverio di aureo-liquido nulla guardante e guardato.

Bisognerà allora che ciascuno, anche se si è intruppato nelle «turbe di solitari» o se è stato ciclato nella macchina turistica, nello sciame di voyeurs volanti, nella fungaia di eccentrici istituzionalizzati, di «geni» in cerca di ispirazione, o peggio ancora se si sentirà tallonato da manipoli di citazioni poetiche e no, o comunque da schiere di veri geni che aprono di sicuro a una vista, ma che altrettanto sicuramente chiudono su un'altra, faccia piazza pulita per qualche attimo anche di questi compagni giustamente chiamati eterni: raschi via tutti i Grandi e le loro parole: per ritornare con essi, ma dopo, in seconda istanza e perlustrazione. Tacerla al massimo, Venezia, per entrarvi. Il tacere originario si ramifica di vuoto in vuoto, e poi si smonta in brusii entro quel corpo labile, che continua ad essere ganglio, gemmazione di gangli elettricamente reattivi, quasi come una medusa o un polipo, frutto di tutte le sensibilità del mare. Tale esso è ancora, da quando era al centro di un contesto sociale totalizzante, da quando ne era il cervello-computer, raccolto come entro il cesellato cranio di un impossibile animale, aggiustato come un puzzle che solo provvisoriamente si fosse potuto riconoscere in «questa» figura, vibrante di ogni potenzialità.

Dal palazzo ducale che aspira a non far dimenticare la palafitta, a tutte le altre fioriture di colonne e lesene, scandite eppure tremule, che ricordano i molti milioni di pali sepolti (per cui anche le gran strutture che s'intravedono dentro l'acqua si possono dire piuttosto rivelate che ripetute) la richiesta della pausa, del non detto, dello scomparso, del tagliato-via, cresce da tutta la foresta edilizia cittadina. E quando ciascuno si sarà lavato dalla colpa del sentirsi in uno dei centri mondiali dell'alienazione turistica, e si sarà tirato fuori dalla catena di montaggio ammirativa che deposita su tutto detriti ben più corrosivi che gli «schiti» dei colombi o lo smog di Marghera, riconosca ognuno il proprio totem, trovi il proprio vuoto-pieno, urti il proprio mattone, o pietra, o spigolo, vi batta la testa, ne sanguini, se ne risollevi rianimato dallo scontro con una forza prima. Tutte le pagine, e a maggior ragione queste, saranno state abbandonate e relegate nel loro essere sorde, stolte, inutili, turistiche.

L'entrata in un mondo d'incroci, si diceva, e in un mondo di nodi (immaginare tutti i nodi della marineria e della topologia). La «mise en abîme» di una Venezia teatro e quadro, gremita di quadri che la ritraggono, all'infinito, o divaricata in innumerevoli storie geografie scene umane che però rientrano, tramite quei nodi, in se stesse.

Difficile camminare, spostarsi, quando una profferta di scenografia è tanto vergine quanto sfacciata, tanto giustificata a tutti i livelli quanto, all'occhio di oggi, stipata come un cofano in cui si raffigura una variante, particolarmente sottile nei suoi deliri, del differenziatissimo universo aristocratico. Vince questa verginità, questo metafisico scialacquo così ben effettuato. Gli esterni sono sempre tenuti sotto sferza come dalla mano di un artista supremo capace di riassumere i voleri e i poteri affascinanti e serpentini delle legioni di umilissimi «grandi artisti» che hanno creato la città soltanto col loro vivere, operare, pensare giorno per giorno lungo i secoli, in corale unità con i grandi artisti che hanno inventato i monumenti e tutta la sovrabbondanza che vi è custodita. E dagli esterni si esercita una forza di invito che viene accettata con quiete e libertà, appagando una larga, marina sete; mentre dagli interni, dove appunto «esistono» e donde «minacciano» miriadi di capolavori della pittura, della scultura, di ogni arte (come mondi che sono propri ed esclusivi/inclusivi anche nel moltiplicare Venezia per Venezia) pare che si eserciti quasi una forza di sopraffazione o di artificio, reti e reti, ami e ami. Questa forza attira dentro le penombre di immensi e cunicolati ventri di balena a partecipare al gran moto della città-Giona: ori marmi figure gesti che vi stanno prigionieri, ma che poi non lo sono, perché emanano a loro volta uno spazio.

Venezia ha inoltre a che fare sempre con l'astuzia, detta o non detta, dell'artificio tecnico. Per questo sembra predisposta al cinema, al peggior cinema di cassetta come a quello più violento nello sperimentare. Per molti aspetti ha da sempre atteso, come «sua», la pellicola. E non tanto perché a Venezia esiste più che in qualsiasi altro luogo una vera e propria «circolazione onirica», indotta entro lo spessore della sua consistenza, così come la squisita radicolarità dei canali e dei rii porta insistenti o improvvisi colpi di luce o scotomi dentro le stanze; né perché la sintassi dell'andirivieni che la città concede a chi vi si aggira sembra la più discontinua e sorprendente; o perché il suo stare/muoversi dà (come entro gli «occhi del gatto» di infinite macchine da presa sempre in azione) lo spaesamento nella più vagabonda incontentabilità, lo sfracellarsi in scintillii dello stesso io che coglie il proprio e l'altrui vivere. Venezia consiste soprattutto di superfici in confronto stratigrafico, è pellicola su pellicola: sembianza, metafora del desiderio stesso nel suo autosfuggirsi. Così, per arrivare, girando all'opposto del «senso comune», ad una certa Venezia profonda, Fellini ha dovuto falsificarla al massimo, ricostruirla in studio, bloccarla e oggettualizzarla in polistirolo e plastica, sottoponendo lo stesso materiale plastico, il più amorfo e ostile, di cui ogni pellicola è fatta, ad automassacrarsi. Intorno, stanno le macerie stroboscopiche delle più varie Venezie in «rosso» o in «blu» shocking, o cianfrusaglie di Venezie «in cappa e spada», o altre Venezie occupate a recitare la loro parte funebre o, al contrario, stecchite nel documentarismo presunto «realistico».

Altrettanto spacca all'improvviso la necessità di dare il via al vero teatro, di mettersi a braccetto con Goldoni, di attribuirsi qui una parte cui presieda Talia, con i suoi balli di ritmi e di detti. In realtà oggi resta una parte che, fuori ormai dalla vera commedia (da gran tempo scomparsa dal mondo), ne accetta qualche eco, qualche aspetto minore, qualche versione per profani. Come negli ultimi anni si è assai ridotto e smollacciato il sapore del dialetto, quasi in una versione preparata apposta per non-veneziani. Sta sprofondando in se stesso, come si dice avvenga della città? Già nel secolo scorso questo dialetto a qualcuno era suonato come paludoso, «inzuppato». E in parte lo era: ma quella certa mollezza del dire era rimasta ancora in equilibrio ondulante, come lo specchio della laguna di altri tempi, quando la ristoravano selvatici e sani i fiumi, tenuti a bada in geometriche e sapienti strategie dai magistrati alle acque. Dorato di compensazioni interne e di facilità, quel dialetto poteva prestarsi tanto all'uso del più sfavillante dei cicalecci quanto all'eloquio più nobilmente e saggiamente composto (ma con un po' di understatement, segno sempre di intelligenza, di sale a manciate). Oggi, anche per il progressivo deficit della «elle», divenuta sempre più evanescente, fino a scomparire, la parlata può aver l'aria del troppo cantato/sfaticato, sembrare un po' stanca di se stessa, impelagata e stagnante. Eppure continua, specie in certi sestieri, a funzionare e anche ad arricchirsi. Del resto essa è soggetta come tutti gli altri dialetti, alla stessa forza universale di erosione che oggi in parte colpisce anche le grandi lingue.

Per chi passa nella città, lasciarsi sciogliere nelle armonie un po' sfatte del veneziano com'è ora è pur cogliere vita. Anche se forse non è così impetuosa e saliente come quella dei vermi che talvolta invadono la laguna, i canali. E, dopo tutto, anche questi misteriosi vermi sono una manifestazione di qualcosa di attinente alla vita, anche se nel raccapriccio. Non sembri questo un insulto a chi nella città vive e opera, e ha davanti tutti i problemi, immensi, del far quadrare certe esigenze fondamentali dei ritmi di oggi e della produzione con qualche cosa di troppo passato − da conservare − o di troppo futuro − da reinventare −. Bisognerà ancora che falli-

scano, su Venezia, chissà quanti urbanisti e sociologi, che vengano messi al tappeto moltissimi ingegni: essa è là, con la sua negazione favolosa e detritica, intimativa e innocente, folle e «meditata», ma che sembra fatta apposta per stimolare ad un superamento, costringendo alle prove più alte.

Ci sono dunque una società e un'economia col morso giornaliero dei loro problemi e interessi di rado convergenti, e con molte forme di buona e mala fede in contrasto tra loro nel farsi carico di questi problemi, finora con mediocri o nulli risultati. Inutile inoltrarsi: basterà solo ricordare che a Venezia anche il sociale e l'economico vengono immediatamente proiettati in altre catene di sensi: e perfino una gigantesca gaffe economico-architettonica come i mulini Stucky può d'un tratto trasformarsi in un ammicco, in un allucinatorio diverticolo che porta, buffamente, a «mondi paralleli».

Un'augurata e probabile, una qualsiasi ripresa di Venezia nell'ambito italiano, europeo, internazionale, avverrà soltanto se potrà situarsi, in una società veramente rinnovata, più in là dei progetti finora congetturabili. Ed è giusto che si riconosca una specie di assoluta, cosmica extraterritorialità a Venezia. L'internazionalismo, che l'ha cullata e quasi addormentata in un certo ruolo, continui comunque a gravitarle, alquanto affannato, intorno: con un certo senso di colpa, ma in primo luogo col riconoscimento del fatto che tutti i popoli devono qualcosa a questo fantasma puro, dell'intersezione, dell'intercolloquio di genti tempi e spazi, entrato nella realtà storica molto più per il prestigio dell'intelligenza, della cultura, della saggezza, che per il furore dell'aggressione. In ogni caso converrà ancora confidare nel brulichio dei piccoli atti, che furono prima di pescatori, poi di mercanti, poi di «gran signori» e di popolo in contrasto/simbiosi, un popolo complice e smaliziato critico di un'aristocrazia per altro irriducibile agli schemi cui questo termine richiama, e sempre dotata di un punto di nonconformistica pazzia. Anche oggi i piccoli gesti, nonostante tutto, somigliano un po' a quelli di ieri: la gente, il popolo, la sua creatività sono duri ad andarsene, sono, ancora oggi, in attesa, sempre più cosciente, di un «via» per l'azione, sono un'orchestra o una compagnia di attori che ha molti vuoti ma che sarebbe sempre in grado di stupirci con un impromptu. Bisogna dunque dare confidenza anche ai colori delle bancarelle e botteghe, degli erbaggi freschi, da mangiare, e dei frutti-fiori; incontrare un sorriso o uno smarrimento, una rievocazione tra appassionata e ironica di sfolgoranti riti di età andate, di leggendari, persi carnevali, puntigliosi a rigiocarsi anche se sono semisommersi dall'acqua alta; cogliere maschere umane che pretendono di essere ascoltate con la stessa eterna domanda con la quale un riverbero o uno spigolo o un arco di ponte o una strettoia segreta di rio dichiarano la loro presenza.

Uomini e cose si ritrovano comunque riuniti nel chiedere aiuto contro i vicini forni del cloro e del fosgene, contro la magia nera che concima di morte tutta la terra. Ben altro mito che quello ormai tradizionale della «morte a Venezia» − sempre umanamente «accettabile» con tutto il suo sovrappiù di paccottiglia − è quello che incombe da Marghera e da tutto il seno della terraferma, i cui orizzonti sono tarlati dalle incastellazioni e dalle torri infernali dell'«industria». E ben altri presagi di morte, anche rispetto a quelli della più compiaciuta fantasia decadentistica, sono quelli in cui si consumano realmente i corpi di coloro che sostengono sulle loro spalle il peso della produzione − minotauro di superfluo e necessario ormai maledettamente indistinguibili − quale è imposta nel nostro tempo.

In fondo, quel consolidato impegno di Venezia a far la parte di preludio e di vestibolo degli Inferi è ancora tollerabile perché a Venezia in realtà si traccia il segno di una «morte continua» («mirabile»), per rintuzzare continuamente gli stratagemmi della morte. Sì, anche se si volesse considerare Venezia quale mummia, vampiro che toglie il sangue a ciò che le sta intorno, anche calcolandola come un'enclave del regno dei morti affiorata nell'al-di-qua, subito si avvertirebbe che la forza compulsiva della sua richiesta di sangue, il suo voler conservare a ogni costo una viva, rosata facies, un fragrante alito, capovolgono in questo caso l'idea negativa che si ha del vampirismo. Venezia sembra autorizzare allora ogni trasfusione, furto, suzione di sangue per trasferirlo a rivitalizzare un passato di per sé remoto: perché troppo ha ancora da dire questo passato, strati e concrezioni, guizzanti organismi e spore sepolte, grumi di futuribile inclusi nello ieri e che il tempo ha attraversato senza sconvolgerli, anche se tutti i tessuti e le condizioni storiche in cui questi nuclei avevano preso forma sono scomparsi. Vale dunque la pena di lasciarsi ferire dai fini, risveglianti, ostinati denti di questa Berenice splendidissima, e di cederle attenzione, allarme, pulsazione rapida e forte: di offrirle insomma qualcosa di meglio che l'ammirazione.

Così, anche quelle sagome industriali che si possono trovare qua e là per il globo dovunque (e che talvolta non mancano di una loro imperscrutabile, beffarda armonia), qui, in presenza di Venezia, finiscono esse pure col venire decontestuate, vengono sospinte in un'altra lettura. La linea della più sconvolgente accoppiata in stridore che esista al mondo, Venezia legata insieme a Mestre-Marghera (qual è il vivente, qual è il cadavere?) di colpo sfida a una sutura di recupero attraverso l'oscenità del reale e del presente; sfida, come si diceva, a «saltare più in là», verso il non

ancora realizzato, verso un mai-visto in cui persino il male venga bloccato, svuotato del suo potere e riabilitato come segno, traccia, forma.

Operare il superamento delle contraddizioni pur lasciandole visibili è stata una delle linee di destino più imparagonabili che abbia avuto Venezia, almeno fino alle soglie del nostro tempo. Così, in essa la più capillare precisione e matematicità ritorna filtrata, dispersa e ripresa per strati alieni costituiti da molle torpore di selve algose e da un «terreno vago» di cupi carboni azzurri; torna ossessivo il confronto tra ciò che è quasi viziosamente minuto, inciso, lavorato e ciò che è quasi viziosamente informe, incoercibile a struttura, libero di non decidersi mai. È tutto un tagliare e ritagliarsi e suturarsi, di spazio in spazio, verso lo spazio ottimo e massimo cui vogliono assestarsi gli esterni, e verso quello denso e «rovescio» in cui allignano gli interni. La presenza del vetro, che nella laguna ha trovato una delle sue sedi più inventive, va e viene, duttile e scattante in lame, sinuosa in oggetti-onde, spezzata in cascate di frantumi che subito si ristabilizzano attraverso le zone caleidoscopiche dei mosaici. E questi mandano segnali dai più riposti punti, quasi seguendo l'andatura di tutte quelle musiche, create per i più diversi strumenti, di cui Venezia è stata sede ispiratrice, diapason e svolgimento attraverso i secoli, fino alla più coraggiosa attualità.

Venezia si può anche pescare, almeno per qualche suo atomo, investendo frontalmente e dall'interno del mestiere fotografico il «pieghevole con palagi e gondole». Trattarla a zampate, a scorticamenti, a mazzate che scompongono e ricompongono, a baci pietrificanti, a denudamenti di particolari, grazie al flash fotografico. Una serie di clic clic, e poi diapositive, da far scorrere più o meno veloci come i fogli di un libro. Il fotografo percorre i propri itinerari senza mostrarcene il filo, interdicendo molto, portandoci di colpo, e fuori, in un De Chirico e in un Magritte, o respingendoci all'indietro nei paraggi di una deriva di tradizione. Il fotografo s'insinua tra di noi, sottile faina, volatile da richiamo, fantasma che si annuncia solo per far spalancare, tra due colpi di ciglio, un'allusione. Egli ferma e lascia subito la presa. Restano i fogli coloratissimi dell'album: ed esso, prima quasi inceppato nella copertina in una figura iniziale «astuta», vero asso che copre il mazzo delle più fatate carte, scatta così che ne sfilino velocissimi i fogli, arcuandosi sotto la mano, facendo scoppiettare i colori. Allora tutto si conclude bene, lasciando nella memoria una Venezia fatta di perline veneziane, del loro brillio, e nulla più. Meglio ancora se l'album cadrà tra le mani di bambini, capaci di manipolarlo fino a ridurlo, ultima essenza, a un mosaico e brillio di brandelli.

Non dall'aeroplano, sempre goffo, nel suo baccano ruggente e nel suo superconsumo di energie, ma dall'alto di una rasserenante, bonaria mongolfiera, che contemporaneamente fosse presa in enigmatici e rapidissimi vortici da satellite artificiale, converrebbe poi salutare Venezia, i suoi dintorni e gli estuari, in cerchi di orizzonti sempre più larghi. Il misterioso, trafiggente e trafitto scarabeo della città brilla nel mezzo della laguna, nutrito e insieme come sacrificato dentro di essa. Affiorano spunti di barche, ancora soffiate via per canali appena individuabili, indizi di caccia e di pesca pazienti nello stesso modo e nello stesso modo attonite e senza prede se non di incanti: siano meandri di corsi d'acqua, o rettilinee defilature di argini, o i coltivi improbabili del mare, o il taglio al diamante di certe isolette, o la divinazione di topografie scomparse che solo il trascolorare delle erbe dentro l'ortogonalità dei tracciati fa entrare appena nell'angolo più incerto della vista.

Da sempre più in alto e insieme da vicino si ritorna all'intenso e delicato abbraccio terra-acqua nelle sue centomila figurazioni, all'innesto difficile delle acque dolci nelle salsedini, o anche di ciò che è morbido e salutifero in ciò che, a poca distanza, è ammorbato e chimicizzato. Vivono le grandi barene − dorsi di entità che si lasciano scoprire e ricoprire secondo impalpabili, grandi leggi − appaiono stellate macchie, uccelli, antenne vibratili come di formiche all'incontrarsi.

No, la vicenda umana qui non è terminata, non terminerà: in questo che è un «luogo» come possibilità, campo, idea stessa in cui la vita può riconoscersi. Pus e petroli, fosgene e vermi, questioni di trasporti, beni, servizi, conflitti di competenze, incompetenze e velleità sono certo dei fatti. Ma si ha la sensazione che i problemi verranno in qualche modo risolti, nel nome e per volontà di tutti, di tutto il mondo che vuole stare con Venezia. Il come non lo sappiamo. Ma da qui è giusto prospettarsi ogni incontro, si può sempre toccare, anche a tentoni, con la mano qualche ipotesi: un muro, un anello di ferro, un supporto ligneo; si può avvertire un alito: di vento, di alga, di bocca umana, che supera l'afrore di qualunque tipo di marciume. Sentiamo la mano arroventarsi dolcemente in tali incontri, ci sentiamo schiaffeggiati lievemente in faccia dalla forza di colpi di ali che nessun catrame riuscirà a impacciare. Entriamo, come in ciò che è perpetuamente mobilitato, insofferente, rivolto in avanti, e ci accorgiamo, pur se quello che ci sta negli occhi sembra un sole calante, di essere stati fatti produttivamente ciechi da quell'eccesso luminoso di vita che Venezia − non assalendo, ma anzi sottraendosi nei suoi «forse» più carezzevolmente fluidi − è stata e continua ad essere.

Andrea Zanzotto

la genesi: il mare e l'approdo

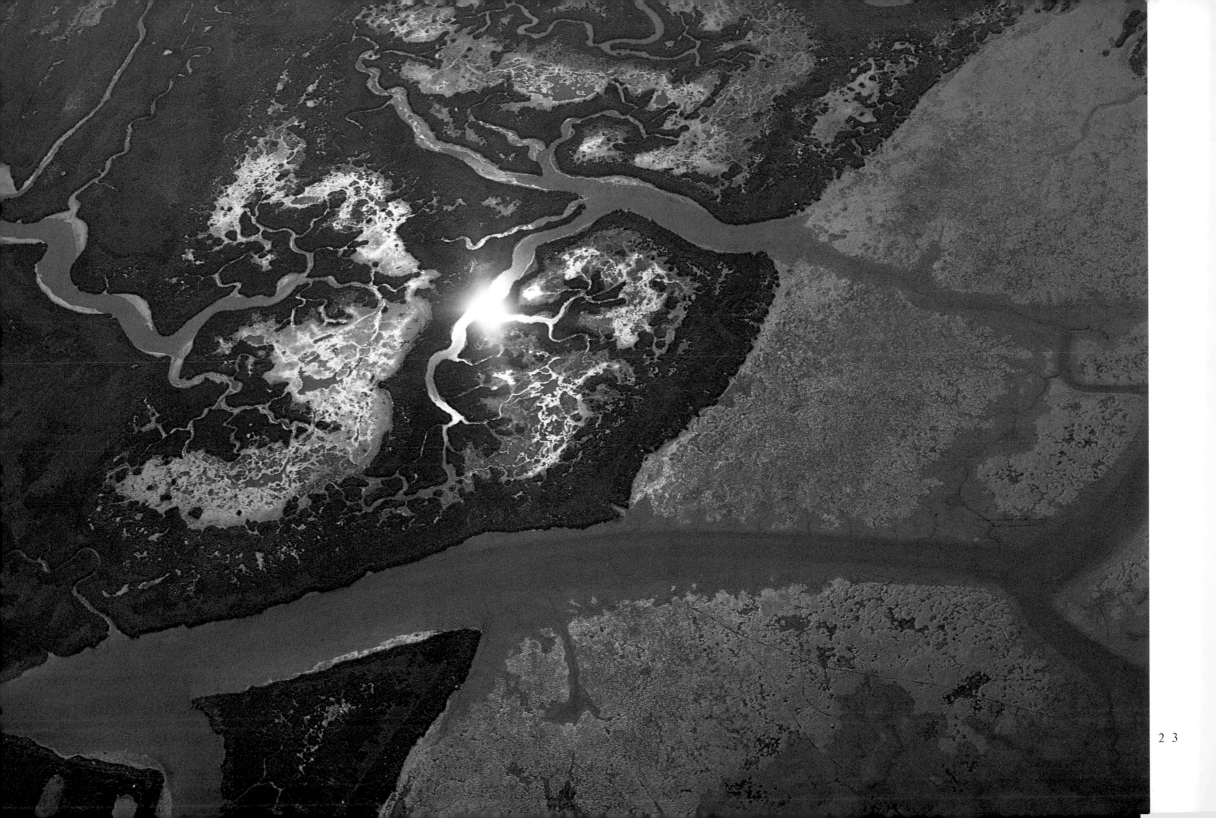

1

L'Adriatico, su cui veleggiarono Greci e Bizantini, e predoni Illiri e Arabi e le navi che portavano i crociati diretti in Terra Santa e navi che tornavano cariche di tesori d'oriente. Attraverso l'Adriatico il Mediterraneo si protende fino quasi a toccare le Alpi, fino a lambire il centro dell'Europa, predestinando fin dalle sue origini la storia di Venezia.

2-3

L'Adriatico incontrando i fiumi padani aveva formato un dedalo di lagune, di lidi, di isole, e di terre non ancora definite: le barene, ora emergenti nelle basse maree dai fondali melmosi, ora sepolte entro lo specchio azzurro della laguna.

4-5

Un popolo geloso della propria libertà accettò la sfida di questo terreno incerto, di questo limite vago tra il suolo e l'onda e, spinto dal terrore dei barbari che ormai premevano nelle vicine pianure, cercò qui la sua salvezza, affrontando tutte le insidie ma valorizzando anche tutti i vantaggi che una natura simile gli offriva. E cominciò a segnare nelle acque gli approdi e i passaggi sicuri con lunghe teorie di pali, le «bricole».

6-7-8-9

Poi, sulle acque calme della laguna, intorno a Rialto, dopo l'VIII secolo, sorse Venezia, e si ingrandì, serbando però intatto dal primo giorno della sua creazione, la sua natura miracolosa di città nata dal mare.
Come una grande porta aperta il bacino di S. Marco introduce fino al cuore della città. È questo il vero ingresso di Venezia e da qui occorre procedere per conoscerla. Non solo perché la città già offre qui tanta parte dei suoi edifici più importanti e più belli, ma perché questo era il volto con cui Venezia amava rappresentarsi ai suoi figli quando tornavano dalle lontane vie del mare, dopo averla tanto sognata e attesa.
Mentre a destra lo sguardo è attirato dall'alta mole del campanile di S. Marco, a sinistra si profila l'isola di S. Giorgio con la chiesa innalzata da Andrea Palladio e la sagoma del campanile sistemato nel 1791 da Benedetto Buratti.

10

L'isola di S. Giorgio è un elemento determinante della impareggiabile scenografia del bacino di fronte a S. Marco, dove le navi approdavano davanti al palazzo dei dogi e vicino alla piazza più bella della città.
È sede fin dal secolo X di un convento benedettino che nel suo aspetto attuale

venne costruito tra i secoli XV e XVII. Vi intervenne nel Cinquecento il Palladio che vi costruì il Refettorio oltre alla grande chiesa ove si conservano tra l'altro la Caduta della Manna e l'Ultima Cena del Tintoretto. Nel Seicento il Longhena costruì il monumentale scalone del convento e la Biblioteca.

11

L'isola di S. Giorgio dalla Riva degli Schiavoni. Oggi l'isola di S. Giorgio è sede di un'importante istituzione educativa-culturale, la Fondazione Giorgio Cini.

12-13

L'imbarcadero delle gondole davanti la piazzetta di S. Marco, al tramonto, e sullo sfondo le cupole della chiesa della Salute.

14

Ancora l'isola di S. Giorgio; vi si scorge, illuminata dal sole, la torretta ottocentesca che segna l'ingresso d'una piccola darsena.

15

Davanti a S. Giorgio il complesso monumentale più imponente e famoso della città. Da sinistra: il palazzo della Zecca, del Sansovino, la Libreria di S. Marco pure del Sansovino, la Piazzetta di S. Marco con le colonne sorreggenti Todaro (S. Teodoro) primo protettore di Venezia, statua composita, con parti di varie epoche, il cui originale si conserva in Palazzo Ducale, e il Leone di S. Marco, adattamento di un non meno interessante bronzo orientale.
Sullo sfondo si intravede la torre dell'orologio e la chiesa di S. Marco, quindi l'immagine si chiude con il Palazzo Ducale. È una delle «vedute» più tipiche della città, rievocata infinite volte dai pittori, al punto da esserci famigliare ancora prima di venire conosciuta nella sua realtà.

16

La facciata del Palazzo Ducale lungo il bacino di S. Marco fotografata dopo il tramonto dal motoscafo in movimento. È un'immagine che appartiene alla Venezia del nostro tempo, al traffico veloce dei motoscafi e dei vaporetti, abituale a chi abita nella città o la vuole visitare.

il cuore di venezia

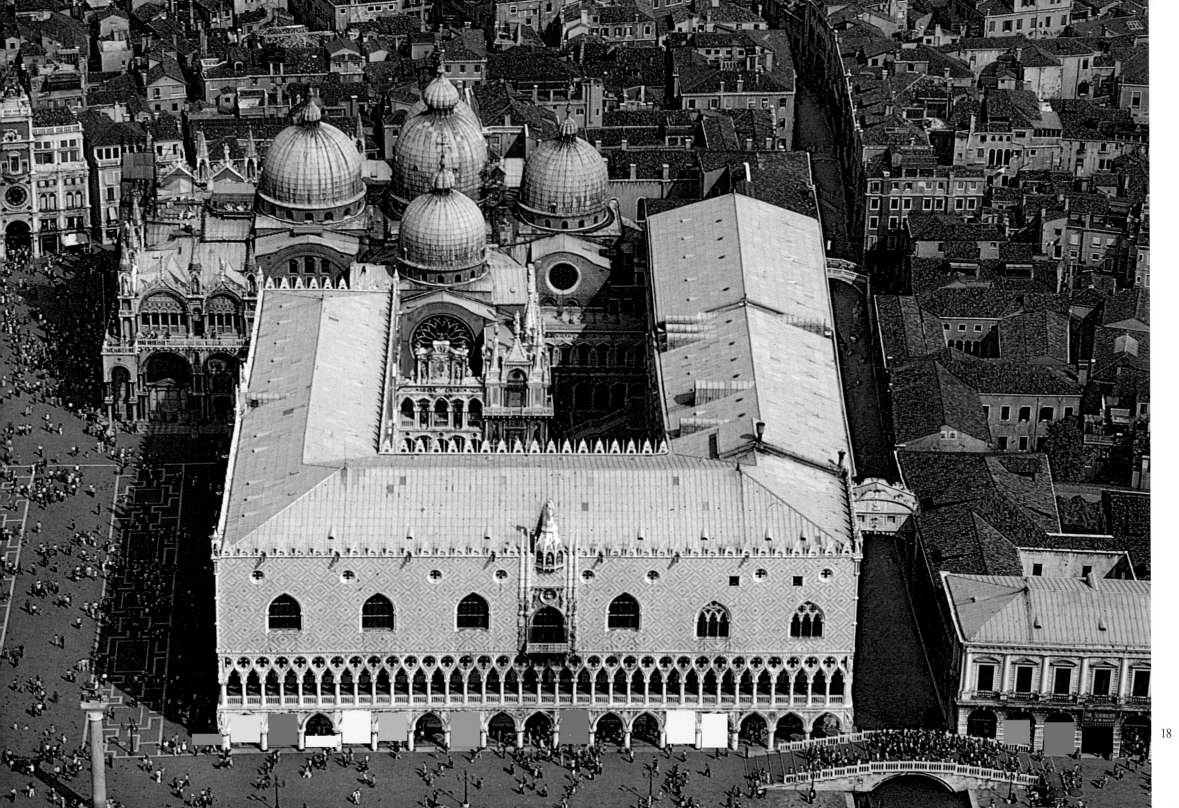

25 26

38 39 40

41 42

43 44

47 48

51 52 53

17

Una città piena di case, di fondaci, di botteghe, di calli, di piazze, di ponti, di conventi, di chiese, di palazzi famosi, estremamente diversificata e complessa nelle sue funzioni, ma cresciuta come per caso, lungo i lembi delle onde e attorno al serpeggiare del Canal Grande che la attraversa, la rifornisce, la illumina tutta. Organismo complicatissimo e nello stesso tempo equilibrato, dove ognuno ha trovato o creato quanto gli occorreva per fare sì che la città intera fosse intima come la sua casa e bella e amata come solo la fantasia la può immaginare.

18-19

Il Palazzo Ducale è uno dei capolavori del gotico veneziano. Venne innalzato nel suo aspetto attuale a partire dal secolo XIV e si ritiene ne sia stato architetto Filippo Calendario che è anche autore di alcune statue simboliche che decorano la facciata. Gli elementi del gotico europeo si fusero a Venezia e particolarmente in questo palazzo con accenti di eleganza decorativa di derivazione araba e con la lievità preziosa della tradizione bizantineggiante. Sul lato verso il molo, nel 1404 i Dalle Masegne incorniciarono con ricchi motivi ornamentali il finestrone centrale. A destra si allunga il Rio di Palazzo, attraversato, nell'ordine, dal Ponte della Paglia, dal Ponte dei Sospiri e dal Ponte di Canonica. Nel centro del cortile del

Palazzo si scorgono le guglie dell'Arco Foscari, innalzato dal Rizzo alla fine del Quattrocento e appoggiato alla basilica. A destra del Palazzo vediamo la mole più bassa delle Prigioni, costruite tra i secoli XVI e XVII.

20-21

Dal ponte della Paglia, così chiamato perché ormeggiavano nei suoi pressi barche cariche di paglia, si può avere la vista del Ponte dei Sospiri, che collegava gli uffici degli inquisitori di Stato entro il Palazzo Ducale, con le Prigioni. Era un ponte particolarmente protetto, costruito intorno al 1600 da Antonio Contino, ed è naturalmente una delle architetture più ricercate dalla curiosità dei visitatori.
La folla dei turisti sul Ponte della Paglia: così è spesso Venezia, durante la stagione turistica che va da marzo a ottobre.

22

Sul Ponte della Paglia, guardando verso il Rio di Palazzo e il Ponte dei Sospiri.

23

La base della colonna di Todaro con bassorilievi del XII secolo, raffiguranti i mestieri, ai margini della piazzetta di S. Marco.

24

I «tetrarchi» di porfido conosciuti dal popolo come «i Mori», cioè i quattro saraceni che avrebbero voluto rubare il tesoro di S. Marco. Essi sono infatti appoggiati alla costruzione quadrata in cui si conserva il Tesoro di S. Marco, sul fianco della Basilica, in prossimità della Porta della Carta che introduce in Palazzo Ducale. Il gruppo rappresenta gli imperatori della tetrarchia al tempo di Diocleziano, ed è opera di provenienza egiziana, del IV secolo d.C., tipica espressione dell'arte tardoromana.

25-26

Balaustre marmoree della loggia di Palazzo Ducale, sulla facciata e verso il cortile interno. Le sculture dei capitelli ci ricordano quelle che con ben maggiore ricchezza ornamentale ornano i grandi capitelli degli arconi del piano di base.

27-28

Cortile interno del palazzo Ducale - particolare dei lati meridionale e orientale. Da questa parte il palazzo venne completato alla fine del secolo XV e durante il secolo XVI. Vi intervennero il Rizzo, il Bregno, Pietro Lombardo, lo Scarpagnino, Bartolomeo Monopola.

29

Loggia del Palazzo Ducale con i busti ottocenteschi dei Dogi.

30

Particolare della statua di Marte, opera del Sansovino, eseguita durante la sua tarda maturità. Assieme al Nettuno queste statue sono poste alla sommità della Scala dei Giganti. Presso di esse il Doge riceveva il corno dogale, il caratteristico copricapo che distingueva la sua carica, nella cerimonia dell'incoronazione.

31

La Scala d'Oro. È la più bella delle scale del palazzo, architettata dal Sansovino, decorata con stucchi da Alessandro Vittoria.
Nel palazzo Ducale avevano sede le più alte magistrature dello stato: l'Avogaria, la Milizia da Mar, il Collegio, i Pregadi o Senato, il Consiglio dei Dieci, gli Inquisitori di Stato, la Quarantia Civil Vecchia, la Quarantia Civil Nuova, il Maggior Consiglio, etc., e inoltre il doge vi aveva anche la propria abitazione. Sostanzialmente l'edificio, nella sua unità e nella sua autosufficienza, deriva dalla tradizione degli antichi palazzi imperiali romani, vere città amministrative, di cui fu per lungo tempo esempio il «palazzo» di Costantinopoli.

32

La sala del Maggior Consiglio, la più grande del Palazzo, che si allarga arditamente senza sussidi di colonne o pilastri ed è splendidamente decorata da tele di Paolo Veronese e Jacopo Tintoretto. Vi aveva sede la massima magistratura veneziana, composta dai nobili iscritti al Libro d'oro che avessero compiuto i 25 anni di età, originariamente un migliaio che arrivarono ad essere fino a 1600.

33

Nella sala dell'Anticollegio, l'anticamera d'onore alla sala della Signoria. Una eccezionale serie di capolavori pittorici dovuti ai maggiori maestri veneziani del Cinquecento decora le sale più importanti del palazzo. Qui è visibile un particolare della tela con Bacco e Arianna incoronata da Venere, del Tintoretto.

34

Verso la fine del secolo XIII la chiesa parve troppo modesta, esternamente, per la crescente fastosità della vita pubblica veneziana, e fu deciso di rivestire la facciata e le cupole aumentandone l'imponenza e lo splendore. A quest'opera decorativa diedero il loro contributo, soprattutto nella prima metà del Quattrocento, numerosi maestri che ispirarono la loro fantasia alle eleganze del gotico fiorito.

35

I famosi quattro cavalli bronzei che decorano la facciata della chiesa di S. Marco, provengono da Costantinopoli, dove sembra adornassero l'ippodromo a da cui furono tolti dopo la conquista da parte dei Veneziani della città durante la quarta crociata (1204). Si tratta di capolavori statuari probabilmente di epoca romana e forse dell'età degli Antonini (II secolo d.C.). Furono asportati da Napoleone (1797) ma restituiti a Venezia dopo il trattato di Vienna (1815).

36

Ingresso della Basilica di S. Marco, particolare di una porta bronzea. La basilica dipendeva, come le chiese degli antichi palazzi imperiali, direttamente dal potere politico, cioè dal Doge. Era quindi Cappella ducale e come tale non appartenne, fino a dopo l'arrivo dei francesi, al Patriarca vescovo di Venezia che aveva invece la sua sede presso la chiesa di S. Pietro in Castello.

37

Basilica di S. Marco. Particolare dell'interno. La basilica venne innalzata nel secolo XI a somiglianza di un'antica chiesa costantinopolitana, quella dei Ss. Apostoli. Sta a dimostrare quindi gli stretti legami politico-culturali che univano allora

Venezia alla capitale dell'Impero Bizantino, e di qui la profonda derivazione della civiltà artistica veneziana dalla tarda antichità bizantina e romana. La preziosa decorazione, a marmi e mosaici della chiesa, riprende forme tradizionali ereditate appunto dal mondo tardo-antico, quali si possono ancora ammirare a Ravenna, a Costantinopoli e in altri centri che erano sopravvissuti alle invasioni dei barbari.

38

Se il centro commerciale della città rimase attorno a Rialto, non lontano da esso si costituì quello politico-religioso ove il doge aveva la sua sede e dove il patrono della città, S. Marco, aveva la sua chiesa, e dove il popolo poteva convenire, nella grande piazza.

La densità abitativa particolarmente alta in questa parte della città ne documenta a tutt'oggi l'importanza storica.

È visibile verso l'alto a destra, la scala del «bovolo» di palazzo Contarini dal Bovolo, che è stata paragonata ad una chiocciola ed è una curiosità architettonica della fine del secolo XV. Un poco a destra della cuspide di S. Marco si scorge la mole, con la facciata ornata, del teatro La Fenice. A sinistra in alto è visibile la parte superiore, ornata da statue, della chiesa di S. Maria del Giglio, eretta nel Seicento dal Sardi, e sotto di essa, più vicino alla piazza, il retro della chiesa di S. Moisé,

pure secentesca. Vi si distinguono nettamente le statue del Merengo sul fastigio della facciata che sovrasta il corpo dell'edificio. In primo piano invece il lungo fianco del Palazzo Ducale prospiciente il Rio di Palazzo.

39-40

Piazza S. Marco fu in passato sede privilegiata di cerimonie pubbliche e di feste popolari. Qui il governo aristocratico della repubblica amava incontrare il popolo veneziano e gradualmente nei secoli la piazza ha assunto quella compiutezza architettonica e scenografica che doveva corrispondere al prestigio delle cerimonie che vi avevano luogo. Ma se il suo aspetto realizza una particolare finezza e solennità, nondimeno la piazza finisce con l'essere anche, per la varietà degli elementi che la compongono e le loro diverse funzioni, un luogo aperto e cordiale per chiunque vi possa convenire.

41

Le Procuratie Vecchie. Erano le abitazioni dei Procuratori di S. Marco, la magistratura più onorifica dopo il dogado. Risalgono alla fine del secolo XV e vengono assegnate all'architetto Mauro Coducci che le avrebbe innalzate fino al primo piano. Bartolomeo Bon, Guglielmo Grigi, e alla fine Jacopo Sansovino, le continuarono e le completarono.

42

Di fronte alle Procuratie Vecchie, le Procuratie Nuove, iniziate da Vincenzo Scamozzi intorno al 1586, terminate dal Longhena intorno al 1640. Chiude la piazza la cosiddetta «ala napoleonica», costruita nel 1810 da Giuseppe Soli. Anticamente qui sorgeva la sansovinesca chiesa di S. Giminiano. Nelle Procuratie Nuove oggi hanno sede il Museo Correr, uno dei maggiori della città, il Museo del Risorgimento, il Museo Archeologico.

43-44

Sotto le Procuratie. La piazza è stata lastricata nel 1723 su disegno di Andrea Tirali. Anteriormente era coperta da mattoni a spina di pesce.

45

Piazza S. Marco resta il maggiore punto d'incontro turistico e mondano della città. Alcuni dei caffè che si aprono sotto le Procuratie sono famosi come il vecchio Florian. Questo è il più antico dei caffè veneziani e deve il suo nome a Floriano Francesconi, il suo primo proprietario nel 1720. L'arredamento e le pitture che lo decorano sono tuttavia ottocenteschi.
Si affacciano sulla piazza altri due caffè famosi, il Quadri ed il Lavena. Durante la buona stagione i loro tavolini invadono una parte della piazza e le loro orchestrine accompagnano le soste dei turisti che qui immancabilmente convergono durante la loro visita alla città.

46

Al caffè Lavena. Vi domina trionfalmente un lampadario di Murano. In questi lampadari famosi, particolarmente in quelli settecenteschi, sembra esprimersi la grazia, la freschezza e la eleganza coloristica che improntano ogni atteggiamento della vita veneziana.

47-48

Turisti e veneziani in Piazza S. Marco. Venezia è meta preferita dalle coppie in viaggio di nozze. Esse approfittano di questo viaggio per vedere la città unica al mondo, che la leggenda dipinge come particolarmente dotata di un'atmosfera carica di dolcezza e di sognante e segreto abbandono, cornice ideale quindi per una luna di miele.

49-50

Una scolaresca italiana davanti alla Basilica, e una scozzese. La città è continua meta di visite non soltanto da paesi lontani ma anche dall'immediato entroterra.

Vi capitano così anche scolaresche dalla vicina campagna, piene di stupore per la città decantata.

51-52-53

«Acqua alta» in Piazza S. Marco. Il fenomeno dell'acqua alta, dovuto alla marea che in particolari congiunture meteorologiche penetra nella città, è sempre esistito, ma recentemente ha assunto ritmi più intensi che hanno fatto temere per l'avvenire di Venezia. Il fenomeno ha assunto una particolare gravità nel novembre del 1966 quando moltissimi negozi furono danneggiati. Da allora uno speciale sistema di allarme è in grado di annunciare per tempo ai veneziani l'arrivo dell'onda di piena mentre tecnici e studiosi tengono sotto osservazione tutti gli elementi che incidono sul livello delle maree all'interno della laguna.

54

Vi sono giorni e ore, soprattutto d'inverno, in cui anche Piazza S. Marco resta deserta o quasi.

55

La piazza durante una nevicata. Non sono frequenti le nevicate a Venezia, ma sono comunque, sempre, un avvenimento indimenticabile per la magia che esse aggiungono ad un ambiente che già ne possiede in così larga misura.

56-57-58

Piazzetta e Piazza S. Marco con la neve. Le cataste di cavalletti e tavole servono a formare le passerelle per l'acqua alta che da novembre a marzo invade spesso le parti più basse della città.

59-60

L'isola di S. Giorgio e la Chiesa della Salute dopo una nevicata.

61

La Bocca di Piazza di notte. È l'ingresso alla Piazza da chi proviene dalla Calle dell'Ascensione, sotto l'ala napoleonica. Da qui si spalanca quasi improvviso lo scenario della piazza, in tutta la sua ampiezza e il suo splendore. Ma nel buio della notte o nel grigio delle stagioni più fredde, qui la vastità indefinita della piazza può anche sbigottire il visitatore con un senso di solitudine e di invalicabili lontananze.

il canal grande

63 64

89 90

93

94

62
Gondoliere sul Canal Grande.
Il Canal Grande è la maggiore via di comunicazione di Venezia, segue il percorso ondeggiante dell'alveo di un'antica foce fluviale e costituisce per la magnificenza e la varietà delle architetture che lo fiancheggiano la più straordinaria scenografia urbana che una città abbia mai avuto.

63
Gondoliere presso l'imbarcadero di S. Marco.
La gondola è elemento inseparabile dalla visione di Venezia ed è un mezzo ancora molto usato a scopo turistico, ma anche per abbreviare i percorsi nella città, attraverso il Canal Grande con i traghetti.

64
«Bricola» davanti all'Harry's Bar. Questi pali, caratteristici del paesaggio lagunare, servono per l'ormeggio delle imbarcazioni e sorgono davanti a tutti i palazzi vene-ziani per i quali la via d'acqua costituiva il più importante mezzo di comunicazione. Risaltano per la vivacità e l'eleganza dei loro colori che si differenziano da dimora a dimora.

65
Se la gondola ha una storia che rappresenta a sua volta un motivo originalissimo ed insostituibile nella più vasta storia della città, un ruolo particolare nella vita di Venezia è riservato anche ai gondolieri, interpreti tra i più genuini del suo anti-chissimo popolo.

66
La gondola va pulita e amata non solo per piacere ai forestieri ma perché essa è l'orgoglio del gondoliere e la compagna inseparabile delle sue fatiche e dei suoi guadagni.

67-68

Le «Fondamenta» all'interno di Venezia. Può accadere di incontrare in qualcuna tra esse le gondole che riposano, lontane dal ritmo frenetico della stagione turistica.

69

La punta della Dogana da Mar costruita nel 1677 da G. Benoni. Dietro la punta si allargano i magazzini della dogana, e quindi si eleva il Seminario Patriarcale, già Collegio dei padri Somaschi e la chiesa della Salute, architettata dal Longhena.

70

La chiesa della Salute, edificio votivo eretto dopo la pestilenza del 1631, è l'opera più famosa di Baldassarre Longhena, l'architetto di famiglia ticinese che diede la maggiore impronta all'architettura veneziana dell'età barocca. Non lontana dall'inizio del Canal Grande, il suo profilo è parte integrante del massimo sistema scenografico di Venezia, attorno al Bacino di S. Marco. Contiene, negli altari e nella Sagrestia, opere di Tiziano, Tintoretto, Salviati, Luca Giordano, Giusto Le Court, etc.

71

Palazzo Dario. Durante il Quattrocento, abbandonando gradualmente i moduli gotici, Venezia adottò le nuove forme rinascimentali soprattutto per opera di Mauro Coducci c dci Lombardo. Palazzo Dario va considerato nell'ambito di questi ultimi e si distingue per la preziosità delle sue cesellature marmoree.

72

Sul Canal Grande, presso il Ponte dell'Accademia. Soltanto tre ponti attraversano il Canal Grande. Il Ponte di Rialto, il più vecchio e famoso, quello della ferrovia, moderno, e il Ponte dell'Accademia, provvisorio, in legno, che sostituisce un ponte in ferro del 1854.

73

Sul ponte dell'Accademia. Innalzato nel 1932 questo ponte deve il suo nome al fatto di sorgere davanti alla sede dell'Accademia di Belle Arti.

74-75

L'Accademia di Belle Arti ha sede nell'antica chiesa e scuola della Carità e nel monastero dei Canonici Lateranensi.

L'Accademia di Venezia venne fondata nel 1750 sotto la direzione del Piazzetta e fu riconosciuta ufficialmente nel 1756 sotto la direzione di G.B. Tiepolo.

Attigue all'Accademia sono le famose Gallerie, il maggiore museo della città e uno dei più ricchi d'Italia, fondate nel 1807.

76-77

Proseguendo sul Canal Grande si incontra Ca' Rezzonico costruita dal Longhena nella seconda metà del Seicento e terminata nel secolo successivo dal Massari. È uno dei capolavori dell'architettura veneta dell'età barocca ed attualmente sede di un museo del Settecento.

78

Ca' Rezzonico conserva soffitti del Tiepolo, del Crosato, del Guarana, e molte altre pregevolissime pitture, sculture del Vittoria, del Brustolon e del Morlaiter,

stanze arredate del Settecento, un'antica farmacia, vari teatrini di marionette, costumi, gli affreschi di Giandomenico Tiepolo provenienti da Zianigo, etc. Tra le raccolte più importanti domina una serie di quadri di Pietro Longhi raffiguranti scene della vita veneziana settecentesca di cui il Longhi fu arguto e inconfondibile interprete.

79-80

Il Canal Grande è ancora la grande arteria mercantile oltre che turistica di Venezia: una via d'acqua unica al mondo e paragonabile, solo per il traffico che vi si svolge, ai Campi Elisi di Parigi e alla Quinta Strada di New York.

81

Palazzo Giustiniani, esempio di architettura gotica veneziana del secolo XV. L'architettura gotica, per la sua eleganza e la sua leggerezza ebbe un ruolo preponderante nella definizione del volto storico della città. Qui abitò Riccardo Wagner e compose il secondo atto del Tristano e Isotta.

82

Palazzo Giustiniani e Foscari. Palazzo Foscari è il più importante palazzo gotico veneziano del secolo XV. Vi morì di dolore, nel 1457, il Doge Francesco Foscari esonerato dal suo ufficio. Oggi è sede dell'Istituto Universitario di Economia e Commercio.

83

Sul Canal Grande è molto facile incontrarvi ancora imbarcazioni tradizionali, spinte a remi, insostituibili per la loro maneggevolezza e perfettamente funzionali.

84

Una bottega di artigiano-intagliatore nei pressi di San Tomà. L'artigianato a Venezia è ancora elemento molto vivo nell'economia, nella composizione sociale e nella cultura artistica della città, e ne costituisce naturalmente uno degli aspetti più positivi. Gli artigiani di Venezia possiedono ancora la perizia e l'estro dei loro predecessori, perizia ed estro che sanno applicare non soltanto agli oggetti tradizionali, ma anche a creazioni nuove.

85

Un negozio di antiquario, nelle vicinanze di San Tomà. La millenaria ricchezza artistica di Venezia non poteva che farne una sede elettiva del mercato antiquariale che gode di operatori particolarmente preparati.

86

Venezia intorno al ponte di Rialto. È riconoscibile a sinistra l'ampia mole del Fondaco dei Tedeschi, costruito agli inizi del Cinquecento e già affrescato da Giorgione e da Tiziano. A destra spicca il candido volume del lombardesco Palazzo dei Camerlenghi seguito dal lungo porticato delle Fabbriche Nuove di Rialto, innalzato dal Sansovino poco dopo la metà del Cinquecento quale sede delle Magistrature preposte alle attività commerciali.

87

Il Ponte di Rialto (fine del 500, architetto Antonio da Ponte) e il palazzo dei Camerlenghi. In questo edificio innalzato nel 1525 da Guglielmo Bergamasco avevano sede i tre Camerlenghi, addetti alle finanze dello stato, ed altre magistrature minori.

88

Il Canal Grande dal Ponte di Rialto. Il terzo palazzo che si distingue da sinistra è la Ca' da Mosto che risale al secolo XIII ed è tra i più antichi edifici prospiciente il Canale. Già in quell'epoca le case veneziane si distinguevano per le logge aperte sulle facciate e le ampie finestre in cui si rispecchiava, diversamente che in tanti altri centri medioevali, la sicurezza politica e sociale della città. In questa casa nacque l'esploratore Alvise Da Mosto. Essa fu sede, dal Cinquecento al Settecento, dell'Albergo del Leon Bianco, il più famoso della città.

89-90

La Ca' d'Oro, capolavoro del gotico veneziano, innalzata nella prima metà del Quattrocento da maestranze tra le quali si vuole sia intervenuto lo stesso Matteo Raverti, uno dei costruttori del Duomo di Milano e i Bon, famosi architetti e scultori del tempo. Oggi il palazzo è divenuto sede di un museo.

91

Ca' Mocenigo a S. Stae. Tipica dimora patrizia veneziana, la cui sistemazione risale particolarmente al Settecento. Il soffitto del «salotto rosso» è affrescato da Jacopo Guarana nel 1767 con l'Apoteosi della famiglia Mocenigo. Il lampadario appartiene al genere chiamato «cioca», cioè mazzo di fiori, e può essere assegnato all'officina di Giuseppe Briati, uno dei più geniali maestri vetrai muranesi del secolo XVIII.

92

Ca' Mocenigo a S. Stae. Salotto rosso.
Particolare della decorazione lignea con putti e allegorie che incornicia il ritratto del procuratore Contarini (secolo XVIII). L'opera fastosa è stata assegnata alla bottega di Antonio Corradini, lo scultore che eseguì la decorazione dell'ultimo Bucintoro.

93

L'essenza dell'architettura veneziana sono il colore e la leggerezza che la fanno assomigliare ad una quinta teatrale senza spessore.
Palazzo Sagredo, della fine del secolo XIV che conserva molti elementi di una preesistente costruzione veneto-bizantina.

94

Non solo i palazzi sul Canal Grande, ma anche quelli che prospettano sui rii interni sono spesso caratterizzati da grande nobiltà architettonica. Qui siamo lungo il rio di Sant'Antonio nei pressi del teatro Malibran.

95-96

Il Canal Grande in una giornata di nebbia.
Queste barche a motore chiamate «peote» sono caratteristiche della navigazione lagunare. Presso il ponte di Rialto ha sede il maggior mercato di frutta e verdura della città.

97

Palazzo Donà, nelle fondamenta della Misericordia, presso la chiesa dei Gesuiti, eretta da Domenico Rossi nel Settecento. Qui siamo ai margini settentrionali della città, in una Venezia più dimessa che si affaccia alla laguna verso le isole di S. Michele e di Murano.

gondole, ponti e calli

98

109 110

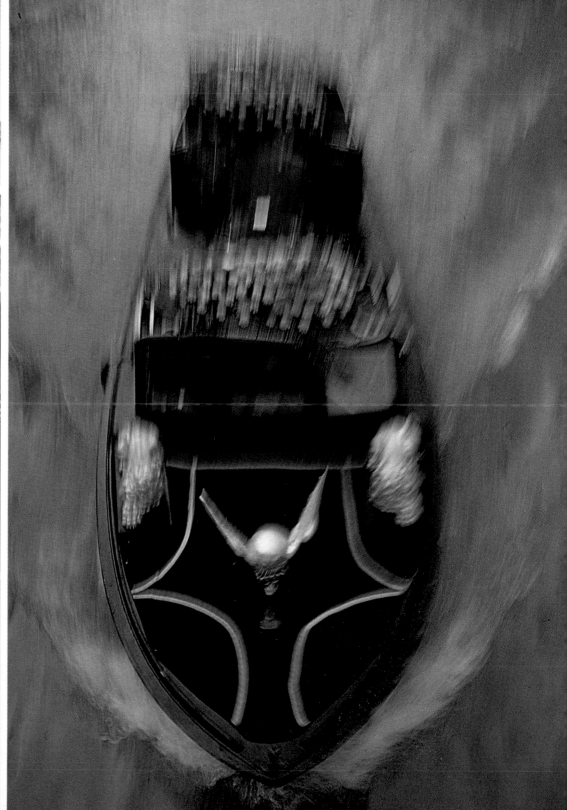

149 150

153 154

155

98

Nessuno che voglia conoscere Venezia può fare a meno di un giro in gondola. Ammirerà salendo su questo mezzo silenzioso ed elegantissimo una Venezia più autentica, abituandosi a guardare il volto delle case dal vero piano naturale della città, che è quello dell'acqua.

99-100-101-102-103-104

Gli «squeri» sono i luoghi dove si costruiscono e si riparano le gondole. Uno dei più belli si trova a S. Trovaso, altri è possibile vederli a S. Pietro in Castello. La gondola attuale risale al 1562, quando un'ordinanza del Senato impose che fosse dipinta in nero, ma deriva da un tipo antichissimo di imbarcazione. Sarebbe già stata usata nel 697 a Eraclea ed è comunque ricordata in un diploma del 1094. Le tecniche della costruzione sono rimaste pressoché immutate nei tempi. Essa è lunga 11 metri e larga 1,20. Lo squero è un luogo povero, disadorno, ma la costruzione della gondola è un atto di pazienza e d'amore. L'imbarcazione ha la linea sensibilissima di uno strumento musicale, ed in realtà essa è studiata per poter essere spinta sull'acqua col minimo sforzo, ed è impreziosita nei dettagli come merita uno strumento perfetto quale essa è. Il ferro a prua, a forma di alabarda, serve a bilanciare il peso del gondoliere che sta a poppa.

105

Remare, condurre una barca poggiando con maestria il remo sulla forcola scivolosa, è un gioco che i ragazzi della città imparano presto. Qui siamo nei pressi della Scuola Vecchia della Misericordia, di cui si vede la facciata quattrocentesca, e della Chiesa dell'Abbazia della Misericordia, con la facciata del secolo XVII.

106

Alla gondola i veneziani affidano i momenti importanti, come i matrimoni.

107

Nel Rio dei Mendicanti presso l'Ospedale Maggiore, una croce di garofani rossi attende un funerale che avrà conclusione nella vicina isola di S. Michele.

108

Una corona di fiori sotto la statua del Colleoni scolpita dal Verrocchio nel campo dei Ss. Giovanni e Paolo.

109-110

La lancia nera adibita ai funerali. L'ultimo atto dell'esistenza terrena dei veneziani ha ancora per protagonista una imbarcazione e l'acqua.

111-112

Il Campo di S. Maria Formosa. È uno dei più vivaci «campi» veneziani, in cui la densità urbana della città si allarga e prende respiro. I «campi» hanno contorno spesso irregolare, e brulicano di attività economiche. La chiesa di S. Maria Formosa è un capolavoro di Mauro Coducci e venne innalzata nel 1492. Contiene pitture interessanti sulle quali domina la S. Barbara di Palma il Vecchio.

113-114

Vecchi fondaci, vecchi ponti, vecchie mura verso l'Ospedaletto. È una visione che a Venezia si ripete innumerevoli volte rendendo i suoi angoli, anche i più nascosti e più nell'ombra, infinitamente suggestivi per quel mescolarsi di vita e di storia, di nobiltà e di povertà che li caratterizza.
La vecchiaia delle strutture non è però soltanto un motivo di lirica suggestione, ma anche di preoccupazione per la salvaguardia della città. Troppe case, troppi palazzi, troppi angoli minacciano di crollare e di sparire per sempre. Tutto il mondo si sta concretamente muovendo per salvare Venezia.

115-116-117-118

Quante sono le forme, le positure, le prospettive dei ponti veneziani? Dove portano? Quali misteriose calli si intrecciano su di essi? Se ne contano a Venezia circa 400.

119-120

Sovente le calli e le rive sono così strette che è difficile superare o incrociare chi si incontra.

121-122-123

L'Arsenale. Ai margini della città, verso Castello l'Arsenale rappresenta una sorta di cittadella, oggi quasi deserta ma un tempo sede dei cantieri della più potente flotta del Mediterraneo, e già famosa ai tempi di Dante che gli dedicò nel canto XX dell'Inferno ben tre famose terzine. Diede lavoro, nei maggiori periodi di attività, a più di 16.000 operai. L'ingresso è vigilato da alcuni leoni. Quello che appare in primo piano fu posto a ricordo della conquista dell'isola di Corfù nel 1716 e proveniva dall'isola di Delo dove decorava, insieme ad altri leoni famosi, una terrazza. La sua testa è stata rifatta.

124-125-126

Gli ebrei trovarono quasi sempre tolleranza e ospitalità a Venezia, abitando originariamente alla Giudecca e successivamente, dal 1516, in una località chiamata Ghetto, da «getto», perché vi era stata una fonderia di cannoni. È qui che ebbe così origine la parola «ghetto» con cui furono poi definiti tutti i quartieri ebraici d'Europa. Sistemata nel «ghetto nuovo» la comunità si allargò poco dopo nel «ghetto vecchio» e infine in quello «nuovissimo», raggiungendo nel Seicento una popolazione che toccava i cinquemila abitanti. Fu una comunità ricca, come è testimoniata dalle numerose sinagoghe, alcune delle quali sussistono ancora, innalzate talvolta da valenti architetti come Baldassarre Longhena.

127

Salendo un ponte. Questa vecchia sconosciuta signora ha nei tratti del viso e nel suo incedere le caratteristiche di un'antica aristocrazia che non è raro incontrare a Venezia dove illustri casate ancora sopravvivono, come quella dei Foscari, dei Tiepolo, dei Mocenigo, per citarne solo alcune delle più note e prestigiose. Ma indipendentemente da questi discendenti di antichi nobili non si può fare a meno di notare che tutta la città ha acquisito una raffinatezza che si è trasferita anche alle classi più umili, così come da sempre il ceto nobiliare aveva amata e fatta sua l'arguzia e la spontaneità popolaresca.

128

La casa del Goldoni. Già palazzo Centani. Qui nacque Carlo Goldoni, il più grande commediografo veneto e italiano, nel 1707. Attualmente il palazzo è sede di un Istituto di Studi Teatrali.

129-130

In campo dei Mori, dove si erge la casa del Tintoretto, si incontrano queste due curiose sculture del secolo XIII. Secondo la tradizione popolare rappresentano, insieme a una terza scultura, tre mercanti arabi, i fratelli Rioba, Sandi ed Alfani, venuti nel 1112, che presero il nome di Mastelli e che qui avevano la loro casa. La figura d'angolo riprodotta rappresenterebbe Sior Antonio Rioba che per lungo tempo assolse le funzioni di «Pasquino» veneziano.

131

La chiesa e il convento dei Frari. Questa chiesa francescana, uno dei più insigni esempi del gotico veneziano, costruita nel secolo XIV e terminata nel successivo, è famosa per i capolavori che contiene, tra cui soprattutto l'Assunta e la pala Pesaro di Tiziano, e la Madonna in trono fra Santi, nella Sagrestia, di Giovanni Bellini. Contiene anche due grandi monumenti funebri dedicati a Tiziano e al Canova. Nel Convento attiguo oggi ha sede l'Archivio di Stato, una delle raccolte più ricche e più preziose di documenti conservata in Europa. Dietro il convento dei Frari biancheggia la mole della Scuola di S. Rocco che racchiude lo straordinario ciclo pittorico del Tintoretto.

132

Gruppo di Tobiolo e l'Angelo, di Francesco Penso detto il Cabianca, nel Chiostro dei Frari. Il gruppo risale al primissimo Settecento ed il Cabianca è autore anche del reliquiario nella Sagrestia della Chiesa.

133

L'ingresso dell'ex Scuola di S. Marco, una delle sei cosiddette «Scuole grandi», ora sede dell'Ospedale Civile. Le «Scuole grandi» a Venezia erano sede di confraternite i cui membri appartenevano alla ricca borghesia. Spesso la decorazione fastosa di queste scuole appare come l'affermazione di una rivalsa culturale contro la supremazia politica della classe nobile. Per questo furono centri caratterizzati da un'altissima impronta artistica. La scuola di S. Marco vide operosi nella sua facciata Pietro e Tullio Lombardo, alla fine del Quattrocento, e Mauro Coducci.

134

Interno della chiesa dei Ss. Giovanni e Paolo. Questa chiesa gotica veneziana, eretta dall'ordine dei Frati Domenicani tra i secoli XIV e XV, insieme a quella francescana dei Frari, costituisce uno dei più gloriosi monumenti della città. Vi si trovano sepolture famose di dogi ed opere di eccezionale valore di Giovanni Bellini, Lotto, Veronese, Piazzetta, Pietro e Tullio Lombardo, Vittoria, etc.

135-136

Ogni calle ha profondissime analogie con altre calli, ma ogni calle è diversa come la gente che vi si incontra.

137

Campo Francesco Morosini a Santo Stefano, d'inverno.
Quando i bambini veneziani vogliono trovare un po' di spazio si riversano nei «campi». I pozzi oggi chiusi ricordano i tempi in cui Venezia non aveva l'acquedotto e ogni campo, ogni cortile aveva il suo pozzo per l'acqua potabile. Sullo sfondo è visibile il fianco della gotica chiesa di Santo Stefano.

138

Campo Francesco Morosini a Santo Stefano, d'estate.
Con la buona stagione nei «campi» si riversano i tavolini dei caffè e la gente vi sosta volentieri attratta anche dalla tranquillità di questi spazi e nello stesso tempo dalla varietà del «passeggio» che vi si può godere.

139-140

Se si incontra una bicicletta non può che essere di un bambino. Venezia è senza pericoli e i bambini, come i gatti e i colombi, vi possono realizzare una vita comunitaria estremamente ricca di amicizie, di incontri, di suggestioni.

141

Uno dei tanti leoni che si possono incontrare nella città. Questo è scolpito all'entrata del Fondaco dei Tedeschi, oggi palazzo delle Poste, nei pressi del ponte di Rialto. Il simbolo dell'evangelista Marco può trovarsi effigiato in diverse maniere, ed ognuna di esse ha un suo significato.

142

Caratteristica di Venezia è avere conservato gli antichi nomi delle sue calli e dei suoi ponti, e l'antica suddivisione in Sestieri. Spesso questi nomi sono suggestivi e ricordano episodi accaduti in tempi lontani, o costumanze locali.

143-144

Un'ortolana e una fioraia al mercato presso Rialto, che vivono nell'immagine come in due antiche «pitture di genere». Verdure, frutta, fiori rappresentano spesso uno spettacolo unico a Venezia, sia per il gusto con cui sono ordinati, sia per la loro floridezza. Le isole dell'estuario, i terreni assolati e sabbiosi, sono particolarmente favorevoli alla loro coltivazione. L'arrivo al mercato delle barche cariche può essere uno spettacolo interessante non soltanto sotto l'aspetto del folklore.

145

Presso la chiesa dell'Angelo Raffaele. La quiete del canale, il sole sul ponte, la pigrizia di un gatto, sembrano l'emblema della profonda intimità che si ritrova in tanta parte di Venezia e che rende durissimo per un veneziano staccarsi da essa, dalle confidenze segrete cui essa l'ha abituato.

146

Nei pressi della chiesa dell'Angelo Raffaele. In questa parrocchia abitava Francesco Guardi e al suo pennello sono state attribuite le storie di Tobiolo e l'Angelo sulla cantoria della chiesa, uno dei capolavori del Settecento veneziano, che alcuni critici assegnano anche al fratello Antonio. La bambina che porta la grande scatola di cartone ignora di appartenere a una tipologia umana che il pittore ritroverebbe immutata nel tempo e che egli particolarmente amava ed esaltava con sorridente fantasia.

147

Un muro di vecchie pietre alle Zattere e sullo sfondo la chiesa del Redentore. Questa chiesa, la cui costruzione venne decretata dopo la pestilenza del 1576, è uno dei capolavori di Andrea Palladio.

148

I Mulini Stucky, nel margine orientale dell'isola della Giudecca. Questi magazzini, oggi deserti, vennero costruiti nel 1884 e chiudono da questo lato il paesaggio della città, divenuti ormai parte insostituibile dello stesso. Essi sono la testimonianza di un tentativo presto abbandonato di industrializzazione in quella zona di Venezia.

149-150

Alle Zattere, nel canale della Giudecca, attraccano normalmente le navi passeggeri e altre navi passano dirette al porto industriale e a Marghera. Sullo sfondo è visibile la settecentesca chiesa dei Gesuati.

151

Pescatori preparano le loro reti in uno dei canali della Giudecca, l'isola che fronteggia Venezia a mezzogiorno.

152

Canale della Giudecca. Ancora in distanza la chiesa dei Gesuati, costruita da Giorgio Massari, decorata da un soffitto del Tiepolo e da altre pitture del Tiepolo, del Piazzetta, etc.

153-154

«Bricole» illuminate nei canali della laguna. Queste palificazioni che limitano i percorsi acquei sono particolarmente preziose durante la cattiva stagione quando la nebbia distrugge ogni altro riferimento ambientale e i vaporetti avanzano lambendo le bricole e cercandole una dopo l'altra.

155

La lunga striscia delle «Fondamenta Nuove», prospiciente l'isola di San Michele, sede del cimitero della città, è interrotta da tre ponti, il più famoso dei quali è quello dei Mendicanti sul rio omonimo.
Gli altri due sono il «Ponte Panada» e il «Ponte Donà».
L'immagine ritrae una parte di quest'ultimo che dà sul rio con a destra l'abside della chiesa dei Gesuiti e a sinistra l'angolo del palazzo Donà delle Rose.

carnevale, regate e feste

156-157-158-159-160

Il Carnevale a Venezia era particolarmente famoso. Cominciava il 26 dicembre, giorno di S. Stefano, ma era permesso portare la maschera, il pomeriggio, anche dal 5 ottobre al 16 dicembre, e in altre particolari festività purché non cadessero di Quaresima. Gli ultimi giorni del Carnevale erano particolarmente frenetici e al giovedì grasso i festeggiamenti si accentravano intorno a S. Marco, alla presenza del Doge, dei vari dignitari, degli ambasciatori. I pretesti per accendere le feste erano tuttavia infiniti. Non bisogna dimenticare che Venezia aveva fatto di esse un'arma politica. Nei tempi della sua lenta decadenza, quando la potenza militare non bastava più a intimorire i suoi nemici, Venezia affidò la sua sopravvivenza all'amicizia e alla simpatia che potevano prodursi dalla sua seducente ospitalità. E il gioco durò a lungo.

Oggi l'antico carnevale vive solo nelle memorie di tanti ammirati ospiti. Eppure sarà sempre possibile ritrovare nella scanzonata comicità dei ragazzi, per i quali il Carnevale, come Venezia, non sono mai decaduti, qualche scintilla autentica di un'arguzia che qui è eterna. Ne possono nascere, nella cornice solenne della città, contrasti ricchi di un'esplosiva e quasi tragica comicità surreale. Senza contare che Venezia è, per sua stessa natura, una città mascherata, una città che dona riflessi, penombre, apparenze, illusioni.

161-162

La «Vogalonga», un pretesto per popolare di barche la laguna come ai tempi dello «Sposalizio del mare».
Corrisponde, qui a Venezia, a uno sport che da qualche anno è esploso in Italia, quello delle marce collettive campestri. La Vogalonga venne istituita nel 1975 e i veneziani vi aderirono con entusiasmo e risultati veramente imponenti, ritrovando non solo la gioia del remo nel dilagare della motorizzazione, ma anche il gusto, che pareva tramontato, di una nuova e autentica partecipazione popolare.

163-164-165-166-167-168-169

Costumi per la Regata delle Repubbliche marinare. Ogni quattro anni a Venezia gli armi della città e quelli di Amalfi, Pisa e Genova si affrontano in regata. I costumi vengono dal guardaroba dei teatri ma anche se le barbe sono finte, i profili di dignitari, paggi, principesse, rivelano fisionomie già incontrate nelle pitture del passato.

170-171

I colori e le barche sono sempre quelli di un tempo. Per la regata storica escono le «bissone» che fanno la loro trionfale comparsa nelle grandi occasioni.

172-173

Gli equipaggi si avviano alla regata. La regata storica ha luogo nella prima domenica di settembre e come il Palio a Siena è intensamente vissuta dalla popolazione. Alla straordinaria cornice di barche e colori che animano il Canal Grande come nei quadri del Guardi e del Canaletto, si aggiunge la tensione, l'emozione della gara. L'origine delle «regate» è antichissima. Le imbarcazioni partivano dalla punta di S. Antonio a Castello e percorrevano tutto il Canal Grande girando al suo termine intorno al «paleto» e lo risalivano ancora fino alla «macchina», il padiglione d'arrivo allestito su chiatte «in volta di Canal», tra i palazzi Foscari e Balbi. Venivano premiati i primi quattro di ogni corsa, con bandiere di colore diverso: rosso, verde, celeste, giallo.

174-175

Fuochi d'artificio la notte del Redentore, tra il sabato e la prima domenica di luglio. Quella notte nessuno dorme a Venezia e le barche cariche di gente indugiano a lungo sulle acque nel buio caldo dell'estate per attendere il fresco dell'alba sulle spiagge del Lido.

176-177

Tra i palchetti della Fenice. Dei tanti teatri per cui era famosa Venezia è rimasto il più bello: la Fenice. Costruito nel 1790 da G. Antonio Selva, e restaurato dopo un incendio del 1836 dai fratelli Meduna, è oggi per l'antica, insuperabile eleganza, uno dei teatri giustamente più famosi del mondo.

178-179-180-181-182

Nel 1975 ebbe luogo a Venezia uno spettacolo indimenticabile, quello di Danza '75, che parve sintetizzare nel modo più elevato quel gusto della coreografia raffinata che a Venezia era stata espressa in ogni manifestazione. Forse a indicare ancora ai veneziani quale fosse la strada maestra da seguire, al di sopra di tante recenti ingenuità populistiche. Vi parteciparono alcuni tra i più prestigiosi Balletti del mondo come quello di Martha Graham, il Balletto del XX Secolo di Béjart, Roland Petit, il Rambert Ballet, il corpo di ballo della Scala, quello di Amburgo ed altri ancora.

laguna, isole e valli

183

Pescatori e reti sulla laguna.

La laguna non è soltanto l'ambiente naturale che presiede alla storia di Venezia e la determina, perché qui ebbero luogo i primi insediamenti che generarono poi la sua nascita, ma ne è anche la cornice e la condizione stessa di vita. Come senza il flusso delle maree non potrebbe perdurare l'esistenza fisica della città, così l'anima di Venezia senza ciò che l'estuario le dona di autentico e di vitale sarebbe destinata ad appassire. Le isole, i lidi, le valli, le barene, tutto ciò che appena emerge e svapora sull'incerto orizzonte non ha solo una funzione di quinta naturale, ma crea correnti di traffici, di interessi, di evasioni anche, con un mondo antichissimo e ancora autentico che aiuta la stessa Venezia a conservarsi tale. Non basterebbero i turisti a mantenere viva Venezia, se non arrivassero gli ortolani e i pescatori con le loro ceste e la loro franchezza paesana e se non aleggiasse intorno alla città ricca di mille capolavori un sentore di solitudini azzurre e solari e di religioso infinito.

184

Torcello vista dalla laguna di Altino. Vi sono ancora zone e isole della Laguna che conservano la più assoluta genuinità ambientale. Ove oggi si stende la campagna di Altino sorgeva una industre città romana, e furono i suoi profughi, fuggendo alle invasioni, che fondarono Torcello, più sicura perché protetta dalle acque come sarà un giorno Venezia.

L'itinerario che porta a Torcello sembra affondare nel passato per ricondurci agli inizi stessi della vita nelle isole e della storia di Venezia quando la città non esisteva ancora.

185

La chiesa di S. Fosca, a Torcello, vista dalla leggendaria sedia di Attila. Questo sedile di pietra, raffigurato di dorso nella fotografia, serviva probabilmente ai tribuni dell'isola per fare giustizia. La sua rusticità ci suggerisce l'immagine di un ambiente patriarcale coerente con la semplicità della natura che domina in queste isole quasi dimenticate ai margini della laguna. La chiesa di S. Fosca, del XII secolo, con la sua elegante e matura forma bizantina, ci riporta all'antico splendore di Torcello, poi decaduta soprattutto a causa della malaria.

186

L'interno della chiesa di S. Maria, il Duomo di Torcello.

Questa chiesa, come attesta una lapide, venne fondata per ordine dell'esarca Isaaccio nel 639 ed è quindi la più antica chiesa dell'estuario. Quando venne innalzata Venezia non esisteva ancora mentre Torcello era fiorente, popolata dai profughi veneti e legata amministrativamente e politicamente a Ravenna, sede del governatore bizantino: l'esarca. I mosaici che splendono nella sua abside ricordano i mosaici più antichi di S. Marco. Tutta un'eredità di arte e di cultura che dal mondo antico venne trasmessa a Venezia lasciò a Torcello le tracce solenni del suo passaggio.

Accanto ai mosaici rilucono i marmi, pervasi di quel chiarore, da quella luce assoluta, che dovevano un giorno accendere i colori di Venezia.

187

L'isola di S. Spirito, con i suoi capannoni militari, oggi abbandonata. Vi sorgeva una chiesa ricchissima, ricostruita dal Sansovino, con pitture di Tiziano e del Salviati che si conservano nella sagrestia della Salute.

188

L'isola di S. Lazzaro degli Armeni. È l'unica che poté conservare, dopo la dominazione napoleonica, l'antico monastero e che non subì quindi spogliazioni e rovine. Fu un tempo asilo per i poveri lebbrosi e dal 1717 sede di una comunità conventuale armena. Vi fu ospite anche Lord Byron di cui si conservano alcuni ricordi. La chiesa e i vani maggiori del monastero sono ricchi di opere d'arte tra le quali pitture di Sebastiano Ricci, del Tiepolo, del Diziani, del Canaletto, etc.

189

Il centro dell'isola di Murano. Un tempo sede di ville e di famosi giardini che furono cari al Bembo e alla regina Cornaro, oggi Murano ha soprattutto il volto grigio e dimesso delle sue vetrerie. Ma basta la chiesa di S. Maria e S. Donato, del secolo XII, col ricamo della sua abside, per restituirle la dignità di un tempo.

190-191

Da secoli le vetrerie distinguono l'attività di Murano. Qui ha ancora oggi vita fiorente una di quelle industrie artigianali che fecero grande la fama e l'economia di Venezia nel mondo. Forse la più confacente alla vocazione coloristica veneziana, alla raffinatezza delle sue tradizioni, all'eleganza dei suoi costumi e a quella leggerezza preziosa che Venezia ereditò dalle sue matrici antiche, da Ravenna, dall'Oriente.

192-193

Bambine di Burano. Se Murano è famosa per i suoi vetri, Burano lo è per i suoi merletti, altra arte legata alla trasparenza, alla fantasia, alle componenti cioè più segrete e feconde della tradizione artistica di Venezia.

194

Burano, isola di merlettaie e di pescatori e, dal principio di questo secolo, di una scuola di pittori che ha voluto qui riscoprire una libertà di ispirazione che altrove sembrava impossibile raggiungere. Così soggiornarono a Burano Gino Rossi, tornato dal suo viaggio in Bretagna sulle orme di Gauguin, Umberto Moggioli, Pio Semeghini, Luigi Scopinich, Vellani Marchi, e altri ancora.
Ancor oggi Burano impressiona fortemente per la coerenza della sua architettura dimessa e vivace.

195

La «peocera». È un vivaio nel quale si coltivano in laguna le cozze che i veneziani chiamano «peoci».

196

Valli da pesca ai margini della terraferma. La superiore resa economica dell'allevamento del pesce, unita allo spopolamento della vicina campagna, sconsigliano oggi la bonifica delle valli, un tempo programmata come necessaria tappa di rinnovamento sociale.

197-198

L'isola di Pellestrina, sul litorale verso Chioggia. Qui solo una stretta lingua di terra separa il mare dalla laguna e solo una gigantesca opera di difesa, i murazzi, realizzati dalla repubblica veneta nell'ultimo secolo della sua storia, impediscono alle burrasche del mare di superare la fragile soglia e di invadere la laguna.

199-200-201

Chioggia, che può essere identificata con la Fossa Clodia romana, citata da Plinio, sorge al limite meridionale della laguna ed ebbe particolari privilegi anche sotto il dominio veneziano. Fu sempre fedele a Venezia e subì una radicale distruzione per opera dei genovesi durante la famosa guerra (1378-1380) che da essa prese il nome. È importante centro peschereccio e naturalmente questa attività conferisce una particolare impronta al suo volto urbano e al carattere della sua popolazione. Ma è anche centro antichissimo, privilegiato da quel tono architettonico che è tipico di tutta la zona delle lagune. Essa ha sviluppato nelle tradizioni e nella mentalità dei suoi abitanti, nel loro stesso dialetto, una particolare originalità.

Commenti a cura di Camillo Semenzato.

essere venezia

Riscoprire, riproporre in termini d'immagine la propria città per la terza volta nell'arco d'una ventina d'anni e più, è impresa difficile, quasi impossibile. Da scoraggiare comunque. «Venise à fleur d'eau» è del lontano 1954, «Venezia Viva» del 1973. Queste due prime esperienze furono quasi interamente consacrate al bianco e nero; la presente è stata un'autentica avventura del colore durata due anni: una gestazione lunga e laboriosa quanto quella brasiliana ma con l'aggravante che nel continente sudamericano ogni cosa seduce e coinvolge − malati come siamo di esotismo − mentre la realtà di Venezia doveva essere rivissuta e osservata giorno dopo giorno col rischio sempre presente di non «vederla» o di «vederla» male. Che è ancora peggio. Ma una cosa mi parve subito chiara e necessaria: dovevo dimenticare il bianco e nero per concentrami unicamente nel colore, cioè «pensare» e «vedere» solo in kodachrome. Se si considera il bianco e nero come una linea, il colore è linea più volume. Ad evitare pericolose sbandate poteva sempre soccorrermi la tecnica acquisita in tanti anni di disciplina col bianco e nero poiché sul piano puramente estetico non esistono incompatibilità fra i due modi di esplorare il reale. Ma anche questo può significare ben poca cosa se il lavoro di ricerca non è sorretto da una dedizione totale e dalla prima qualità che si deve pretendere da un fotografo: di essere essenzialmente un visivo, cioè un uomo che *vede* dove tutti si limitano soltanto a *guardare,* e che costringe a *vedere*. Le enormi suggestioni della fotografia derivano proprio da questa costrizione a vedere, cioè a conoscere per immagini.

Personalmente mi sento sempre in gara, ogni reportage o libro è come un esame. Sto sempre fotografando qualcosa, quando parlo, quando viaggio, quando rimango in silenzio. Sono prigioniero della necessità di abbozzare continuamente reportages e libri. La fotografia non è una professione, è un modo di vivere.

Il formato del libro non è stato scelto a caso o per capriccio: esso è lo sviluppo aritmetico del 24×36. Non solo, ma considerando che Venezia è una città da vedere quasi sempre orizzontalmente e che le doppie pagine sono una frattura ottica, la scelta non poteva essere che questa. Le note tecniche, anche per le fotografie che possono sembrare frutto di strane alchimie, sono superflue poiché non ho mai fatto ricorso a nessun trucco, a filtro di nessun genere. Ho fatto invece uso e abuso della Leica R3 il cui nuovo Summicron 50 offre prestazioni straordinarie. Le altre ottiche più usate sono state il Summilux 35 montato sulla Leica M4-2 e il Summicron 90. Solo per la prima e l'ultima immagine del libro mi sono servito del Telyt 560.

Fulvio Roiter

Altre opere di Fulvio Roiter

Venise à fleur d'eau - La Guilde du Livre, Lausanne 1954
Ombrie terre de Saint François - La Guilde du Livre, Lausanne 1955
Andalousie - La Guilde du Livre, Lausanne 1957
Bruges - Editions Arcade, Bruxelles 1960
Persia - Editions Silva, Zurich 1961
Naquane - La Guilde du Livre, Lausanne 1966
Liban - La Guilde du Livre, Lausanne 1967
Mexico - Atlantis Verlag, Zurich 1968
Brasil - Atlantis Verlag, Zurich 1971
Turquie - Atlantis Verlag, Zurich 1971
Algarve - La Guilde du Livre, Lausanne 1971
Espagne - Atlantis Verlag, Zurich 1973
Tunisie - Atlantis Verlag, Zurich 1973
Venezia viva - Sperling & Kupfer, Milano 1973
Irlande - Silva Verlag, Zurich 1974

Altre opere di Andrea Zanzotto

Dietro il paesaggio (versi) - Mondadori, Milano 1951
Elegia ed altri versi - La Meridiana, Milano 1954
Vocativo (versi) - Mondadori, Milano 1957
IX Ecloghe - Mondadori, Milano 1962
Sull'altopiano (prose) - Pozza, Vicenza 1964
La beltà (versi) - Mondadori, Milano 1968
Gli sguardi i fatti e senhal (versi) - tip. Bernardi, Pieve di Soligo 1969
A che valse? (versi 1938-1942) - All'insegna del pesce d'oro, Milano 1970
Pasque (versi) - Mondadori, Milano 1973
«Filò» (versi dialettali veneti) - Il Ruzante, Venezia 1976

Antologie:
Poesie 1938-1972 - Mondadori, coll. «Gli oscar», Milano 1973, a cura di S. Agosti
Selected Poetry of Andrea Zanzotto (traduzioni in inglese con testo a fronte, a cura di R. Feldman e B. Swann), Princeton University Press, Princeton (USA) 1976

Stampato dalle Grafiche LEMA di Maniago/Pordenone
nel mese di Novembre 1977

Ideazione grafica: Fulvio Roiter

Vi hanno collaborato:
Enrico Mazzoli, Edoardo Borean, Gilberto Brun

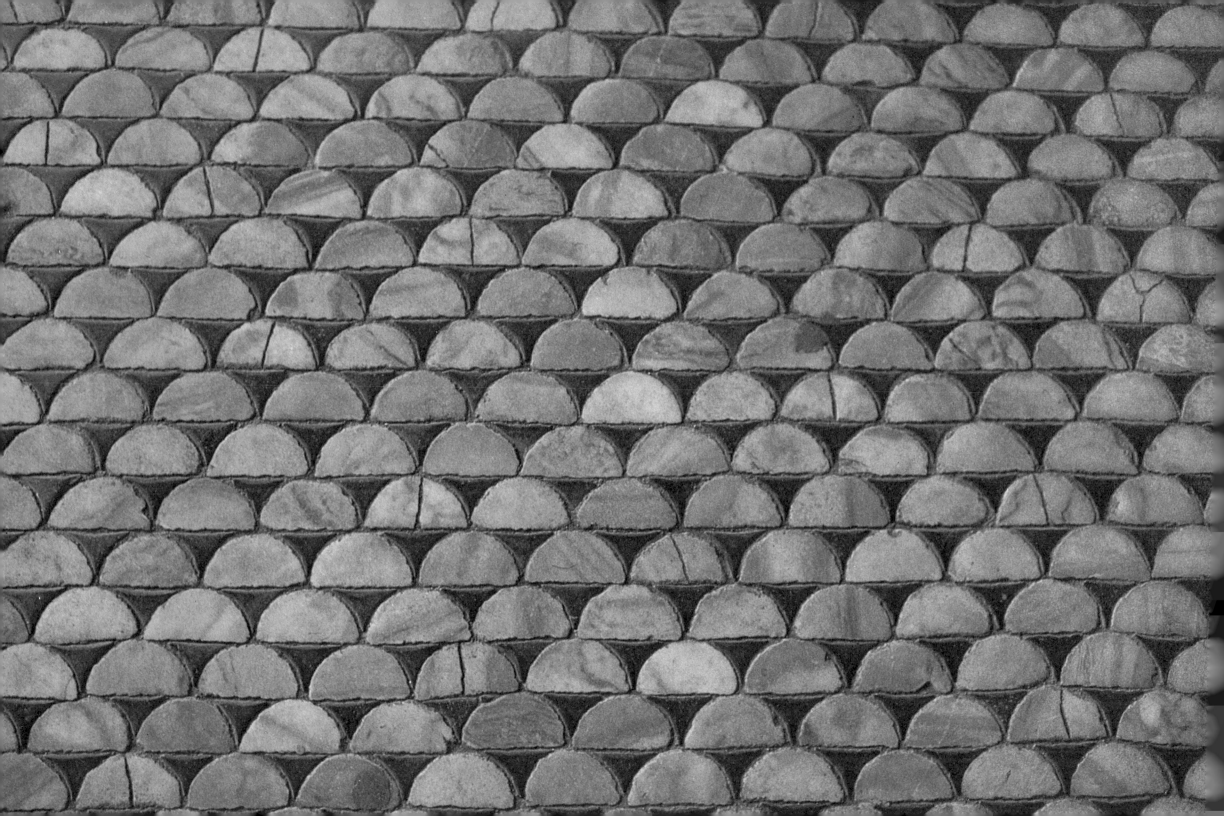